퓨전
전통주
인문학

글 김영희   그림 방서현

퓨전
전통주
인문학

발 행 일	2024년 8월 15일
지 은 이	김영희
편　　집	김모정
디 자 인	방서현
발 행 인	김영희
발 행 처	춤추는책

출판등록	제 2019-000011호 (2019년 10월 1일)
주　　소	안성시 공도읍 양기길 46 10층 1호
대표전화	070-7766-2552
홈페이지	http://hfbooks.modoo.at
이 메 일	kyh@kcbooks.org
ISBN	979-11-93820-23-0

퓨전
전통주
인문학

글 김영희   그림 방서현

{ 인문학 마시는 빨간구두 }

프롤로그

전통주는 한 나라나 지역에서 전통적으로 내려오는 양조법으로 만든 술을 말한다. 전통주에는 역사와 민족성이 담겨 있다. 그래서인지 전통주 하면 기성세대의 고유물 같은 느낌이 들 때가 있다.

전통주에 얼마나 많은 다채로움과 즐거움이 있는지 알리고 싶다. 내가 좋아하는 술을 내가 사랑하는 사람도 좋아했으면 좋겠다. "부어라, 마셔라." 하지 않아도, 전통주에 담긴 역사와 맛을 나누는 자리를 자주 가지고 싶다.

젊은 날에 맛과 멋을 모르고 즐겼던 전통주라면, 중년이 된 지금은 그 깊이를 몸소 느끼며 즐긴다. 이 깊이를 현세대도 각자의 취향대로 저마다의 색깔을 드러내며 마음껏 즐겼으면 좋겠다. 전통주에 색 한 방울, 철학 두 방울, 개성 세 방울 넣고 퓨전 전통주를 즐겼으면 참 좋겠다.

술이 있는 곳에 술만 있는 건 아니다. 술이 있는 곳에는, 사람이 있다. 또 그만큼의 이야기가 있다. 술이 만들어 가는 역사가 어디 한둘인가! 하나 이상의 이야기와 둘 이상의 역사가 만들어지는 공간이 바로 술이 있는 공간이다.

젊은 날, 술집이 공간을 내어주지 않는 날에는 골목 한구석이 우리의 공간이었다. 어떻게 해서든 술이 만들어 주는 역사를 함께 하고자 애썼다.

맛과 멋은 마음을 다해 시간을 나눌 때 필요한 요소다. 함께 음식을 먹을 때 곁들이는 술 한잔, 술 한잔에 곁들이는 안주가 그날의 깊이를 더한다. 이별 후에도 함께 마셨던 술과 음식이 떠오르는 것은 나만이 아니리라.

맛있는 음식을 먹을 때 사랑하는 이들이 생각나고, 그럴 때 확인한다. 참 소중한 사람이라는 것을. 가족이 그 대표적인 관계일 터. 사랑하는 가족과 함께 마시는 술, 그리고 음식! 그래서 더 정성을 들여 장소를 섭외한다.

내가 좋아하는 음식을 사랑하는 이들도 좋아했으면 하는 마음이 들고, 사랑하는 이가 좋아하는 음식이니 나도 어쩐지 좋아지는 이상한 경험을 해본 적 있는가? 그만큼 음식 안에는 사랑이 깃든다. 어쩔 수 없이, 때로는 당연히 스며든다.

사랑하는 사람과 각자의 취향에 맞춰 술과 안주를 즐길 때, 기쁨은 배가 되고 슬픔은 어느새 없던 일이 된다. 불행하지 않다면 행복한 것! 퓨전 전통주와 그에 맞는 안주를 즐기며 소소한 행복에 빠져보는 것은 어떨까?

2024년 8월
한국퓨전전통주협회장 김영희

퓨전 전통주
어디까지 아니?

퓨전 전통주, 어디까지 아니?

"퓨전 전통주는 가까이 있다!"
- 인문학 마시는 빨간구두 -

술은 천 가지의 얼굴을 가진 녀석이다. 기쁜 날은 더 기쁘게 만들고, 슬픈 날은 더욱 깊이를 더해 준다. 취하고자 마시기도 하지만 허기를 달래기 위해 마시기도 한다. 담배와는 달리 건강을 위해서 먹는 한약의 효능을 더해 주기도 하는 것이 바로 술이란 녀석이다.

녀석이라고 칭하긴 했지만 사실, 술은 그렇게 부를만한 게 아니다. 술은 그 역사에서도 살펴볼 수 있듯이 신 또는 조상의 제사때 받치는 신성한 것이었다. 신의 영역에서 인간이 감히 범접해 버린 황홀하고도 무서운 것이 바로, 술이다.

술은 처음에 과일이나 곡류의 원료 중, 효소나 미생물 번식으로 만들어지는 것을 이용하다가 인간이 직접 만들게 되었다. 어쩌면 신이 창조한 것 중에 가장 인간에게 가까운 것이 아닐지 생각해 본다.

언제부터 술을 만들었는지 정확히는 알 수 없지만 원시 시대부터 자연스럽게 나타났을 것으로 추측할 수 있다. 문자가 만들어지기 훨씬 전부터 만들어 먹었음이 분명하다. 인간이 만들어 마시기 훨씬 전부터 자연에서 만들어진 천연주가 있었다.

천연 주는 자연적으로 빚어진 술로, 꿀과 과일같이 자연 그대로 두어도 천연 발효가 되는 술을 말한다. 6000년 전부터 포도주를 빚었던 흔적이 발견되는데 성서에는 노아 시대에 사람의 침을 이용해서 빚는 포도주가 등장하기도 한다.

스칸디나비아에는 신혼부부가 한 달 동안 벌꿀 술을 마시는 풍속이 있었다. 그것에서 유래된 게 바로, 우리가 흔히 아는 '허니 문'이다. 한 달 동안 벌꿀 술을 마시면 저절로 사랑이 익어갈 수밖에 없지 않겠는가?

입으로 씹어서 만드는 술이 있다는 걸 아는가? 아마존의 민속주인데, 손님을 대접하기 위해 그 집 여자가 술을 가지고 나오는 치차술이다. 우리나라에서도 코가 삐뚤어지게 취해 친구를 몰고 오는 남편이 미우면서도 술을 내오는 아내의 이야기는 흔하다.

광해군 6년에 지봉 이수광이 지은 백과사전 〈지봉유설〉에서는 곡식을 씹어서 술을 빚은 치차술을 처녀들이 만들었다고 해서 '미인주'라고 써 놓았다. 역사적으로 볼 때 '술은 여자가 따라야 제맛'이라는 말이 여기서 나온 말이 아닐까 한다.

곡식을 씹어서 술을 빚는 모습은 우리나라뿐만 아니라 중국이나 일본에서도 찾아볼 수 있다. 입 안을 깨끗이 닦아 낸 다음, 쌀을 씹어서 술을 빚었고 지금도 일부 부족들이 만들고 있다고 한다.

신화 속에서도 술 이야기는 전해 오는데, 이집트 천지의 신인 이시스의 남편, 오시리스가 맥주를 만들었다고 전해지고 있고, 그리스 신화 속 디오니소스는 술의 시조라고 전해지고 있다. 처음 술을 마신 사람들은 독약이라고 착각했다고 한다. 아무래도 어지럽고 속도 울렁거리니 그렇게 오해할 수밖에.

우리나라 문헌에서 술이 처음 등장한 것은 동명성왕 건국 담이다. 해모수가 유화를 가까이하기 위해 술대접했다. 그러다 결국 유화가 주몽을 낳았고, 바로 이 사람이 고구려를 세운 동명성왕이라고 전한다.

우리나라 전통주는 안타깝게도 일제 강점기 때 자취를 감추게 되었다. 주류 단속을 강화하는 바람에 약주나 탁주, 소주로 통일되고 말았다. 모든 면에서 약탈하고 금지하고 속박했기에 전통주 또한 무사할 수 없었다.

술은 쌀을 물에 불려서 찌고 누룩을 섞어 다시 물을 붓고 시간이 지나 거르면 만들어진다. 시간이 만들어 주는 최고의 음식이다. 이름 있는 술을 만들기 위해서는 오랜 시간 경험을 통해서 나름의 비법으로 개발해야 한다.

오랜 시간 동안 끊어져 있던 전통주는 1990년 초 다시 팔리기 시작했다. 일제 강점기에서 벗어나고도 한참의 세월이 지난 후이다. 50년 가까이 얼마나 많은 사람이 그 맥을 찾고 연구했을까? 그래도 끝내 버려지지 않은 명백한 우리 민족의 얼이자 문화다.

술을 빚을 때에는 스무 가지가 넘는 도구가 필요하다. 누룩의 형태를 만드는 누룩틀, 떡을 찌는 데 이용되는 시루, 술을 솥에 넣고 증류시키는 소줏고리, 술을 거르는 용수, 쌀을 빻는 맷돌, 이물질을 빼는 술체, 체를 받쳐 주는 받침대, 체다리 등이 있지만 집에서 간소화해서 만들 수도 있다.

우리나라 전통주라 하면 보통 막걸리를 생각하는데, 전통주 종류는 생각보다 많다. 맥이 끊긴 후 다시 살아나기 시작한 우리나라 전통주는 현재 200여 가지가 넘는다. 우리나라 전통주를 하루에 하나씩 음미한다고 봤을 때 반년은 족히 넘게 걸린다.

고급술로 여겨지는 술이 증류주이고 대중적인 면에서 소주를 떠올려 보더라도 희석식 소주와 전통 방식의 증류식 소주는 제조하는 방법 등 많은 면에서 차이가 크다. 전통적인 측면으로 보면 둘은 하늘과 땅 차이만큼 벌어진다.

지금은 저가 막걸리도 질이 좋아져서 여러 가지 면에서 희석식 소주보다 좋은 점이 많다. 그렇다 하더라도 막걸리가 우리나라를 대표하는 술이 되기에는 부족한 면이 많다. 따라서 우리나라 술이라고 하면 바로 막걸리를 떠올리는 것은 안타까운 일이다.

우리나라 전통주는 생각보다 훨씬 깊고, 넓고 고급스럽다. 우리나라 전통주는 쌀을 주성분으로 하지만 청주, 탁주, 막걸리는 다르다. 청주는 쌀이 삭고 남은 침전물이 섞이지 않도록 분리한다. 청주는 가장 고급스러운 술로 주로 제사 때 올렸다.

탁주는 청주를 만들고 남은 침전물을 보자기에 짜서 만들었다. 탁해서 탁주라고 부른다. 탁주를 만들 때 물을 섞기도 하는데 그래서 탁주가 청주보다 도수가 조금 낮다. 탁주는 상시로 마시는 술이다.

탁주를 만들고 나면 다시 침전물이 남게 되는데, 그것에 물을 부어서 걸러낸 것이 바로 막걸리다. 그래서 도수가 가장 낮은 술이 막걸리다. 막걸리는 제일 저렴한 술이어서 주머니 사정이 썩 좋지 않아도 즐길 수 있다.

동동주는 흔히 막걸리에 사이다나 다른 음료를 섞어 먹는 술을 말하는데, 쌀알이 동동 뜬 것도 있고, 아닌 것도 있다. 일반 막걸리나 탁주보다 농도가 낮다. 전통적으로 빠르게 술을 빚어낼 때 쌀알이 동동 뜨는데, 처음 술을 빚어 보는 사람이라면 이 속성 주를 권한다.

우리 민족은 예부터 술을 빚고 즐기면서도 스스로 다스릴 줄 아는 지혜가 있었다. 깊은 역사와 문화를 바탕으로 우리 민족만의 독특한 술 문화를 만들었다. 가옥마다 특징적인 방법으로 술을 빚었고 음료로 여기기보다 하나의 음식으로 여겼다.

세계에는 명주가 많다. 세계화 물결 따라 각 나라 명주를 쉽게 맛볼 수 있게 되었고, 그 행렬 속에 세계 전통주를 퓨전으로 즐기는 이들도 많아졌다. 혼술족이 늘면서 가정에서 간단히 만들어 먹을 안주와 더불어 탄산과 음료를 첨가해 자신만의 애정 주를 마신다.

우리나라에는 정월대보름에 귀밝이술, 단오절에 창포주, 한가위에는 신도주(햅쌀 술) 등 절기마다 마시는 술이 있는데, 개인적으로 중요한 날을 기념하기 위한 자신만의 술을 만들어 보면 어떨까?

퓨전? 그보다 더 기발한

"당신이 처음이 될 수 있다."
- 인문학 마시는 빨간구두 -

퓨전은 서로 다른 두 종류 이상의 것을 서로 섞어 새롭게 만든 것이다. 술에서도 다를 건 없다. 나의 첫 퓨전이라고 한다면 소주에 콜라를 섞어 마시던 것이 아닐까? 퓨전은 무언가를 더하거나 덜어낸다. 술에 있어서는 맛을 더하고 도수를 내려주기도 하며, 때로는 도수를 올리기도 한다.

술을 자주 접하다 보니 기발한 방식으로 술을 즐기기도 하는데 특히 사람이 여럿 모였을 때는 즐겁게 놀만한 것을 만들어 낸다. 퓨전보다 기발한 발상은 놀랍기 그지없다. 술을 마시는 방식, 곁들이는 안주, 술에 안주를 넣어 먹는 것 또한 호기심과 즐거움이 뒤섞인 놀이 한마당이다.

어른의 놀이. 술에서 짙어지고 동심의 세계로부터 파생된 호기심 천국이다. 개인으로부터 시작하여 집단의 놀이로 퍼져가기도 하고 함께 즐기다 보니 어느새 하나의 문화가 되기도 한다. 전통을 왜 전통 그대로 즐겨야 하는가? 시대에 맞게 문화도 바뀐다.

혼자 술을 마실 때도 별반 다르지 않다. 잔이 서로 부딪치는 맛으로 술을 마시는 사람이라면 혼술을 즐길 때도 마찬가지. 기발한 방식으로 소리를 내며 마신다. 선풍기에 소주잔을 걸어 놓고 회전시키는가 하면, 모자에 달아 짠 소리를 낸다. 혼자 할 수 있는 음주 놀이, 우스꽝스러워 보여도 나름의 철학이 담겨 있다.

자신과 대화해본 사람이라면, 약간의 취기가 있을 때 더욱 솔직해진다는 걸 알게 된다. 이 또한 타인과의 대화와 별반 다르지 않다. 용기가 없어 마음에 있는 이야기를 쉽게 꺼내지 못하는 사람도 약간의 술로 작은 용기를 내기도 하듯이 말이다.

전통과 퓨전의 만남은 MZ세대의 개발품이자 술 문화를 즐기는 방식이다. 술을 즐기다 못해 양조장을 운영하는 청년 셋이 있다. '팔팔 양조장'에서는 MZ세대답게 밤샘을 하며 술을 만든다. 체력이 기술이다. 술이 발효되는 과정에서의 변화를 보면서 연구를 거듭한 끝에 만든 것이 단맛은 있으면서 탄산이 없는 '팔팔 막걸리'다. 기발하다.

막걸리 이름도 디자인에 따라 MZ세대답게 짓는다. 몇 년 전, 화제가 된 막걸리 중 구름아양조장에서 만든 '만남의 장소'가 그렇다. 그밖에 '사랑의 편지', '대관람차'가 있는데, '대관람차'는 알코올 두수가 무려 12도다.

12도까지 올라가게 만든 이유가 대관람차를 타면 12시 방향으로 올라갈 때 가장 황홀하기 때문이란다. 보통 막걸리가 6도 정도 되는 것에 비하면, 상당히 높은 도수임에도 목 넘김은 부드럽다. 게다가 탄산이 거의 없어 오래 두고 마셔도 맛이 그대로다.

요즘 '힙'한 막걸리가 대세다. 조상들이 즐기던 진한 막걸리를 MZ세대가 가볍게 즐길 수 있게 감각적으로 술을 빚는 것이다. 덜달게 저 탄산으로 만드는 것이 포인트다. 그렇게 빚어진 술은 가볍지만 가까운 친구가 된다.

생막걸리는 시간이 지남에 따라 맛이 다르다. 부드러웠다가 담백했다가 탄산이 살아난다. 알코올 도수도 미세한 차이를 보인다. 처음부터 술을 빚어낼 때, 알코올 도수를 6도, 혹은 12도 정도로 달리 빚기도 한다.

막걸리는 생각보다 맛과 향이 다채롭다. 풋사과 맛을 내기도 하고 참외나 수박의 달콤한 맛이 나기도 한다. 숙성의 시간이 길수록 바닐라 향이나 견과류에서 나는 향을 낸다. 막걸리는 작은 차이에도 맛과 향이 크게 달라지기 때문에 손이 많이 가는 주종이다.

요즘 막걸리는 이름도 기발하다. '한아양조'의 '일곱쌀', '아홉쌀'은 알코올도수에 따라 이름을 지었다. 디자인은 또 어떤가? 대표의 일곱 살 때 사진을 붙였고, '아홉쌀'은 술에 취해 눈앞이 흐려진 걸 연상케 하는 희미한 사진을 붙였다. '열두쌀'은 12도의 높은 막걸리로 사진도 마치, 취한 것처럼 고개를 뒤로 젖히고 웃는 모습을 붙였다. 참 기발한 발상이다.

내가 살고 있는 곳, 인근에는 평택 '호랑이 배꼽' 양조장이 있다. 3대가 함께 운영하는 호랑이 배꼽 양조장의 이름이 지어진 이유가 평택이 우리나라 정중앙에 위치하기 때문이다. 우리나라 형세가 호랑이 모양을 하고 있고 그것에 빗대면 평택이 정확히 호랑이 배꼽 위치에 있다는 것에서 착안한 이름이다.

나의 고향 부산, 다대포에는 3대가 정성을 담아 술을 빚는 '순진 도가'가 있다. 지금은 며느리가 자신의 색깔을 넣어 기발한 술을 만드는데, '순진탁주 딸기'가 대표적이다. 은은한 딸기 향과 새콤달콤한 맛이 가미된 MZ세대에 딱 맞는 술이다.

　막걸리는 보통, 멥쌀과 찹쌀을 섞거나 멥쌀만으로 빚는다. 그런데 100% 찹쌀로 빚는 막걸리가 있는데, 바로 '볼빨간막걸리'다. 찹쌀 고두밥과 누룩으로 밑술을 만든 다음 3일 정도 발효시킨다. 찹쌀 100%로 술을 만들면 단맛이 강해지는데 '볼빨간막걸리'는 단맛이 강하지 않다.

술을 즐기는 방법도 가지가지다. 각자의 취향에 맞춰 즐긴다. 술의 종류도, 안주의 종류도, 마시는 방법도 다양하다. 심지어 술과 안주를 동시에 먹기도 하는데, 그야말로 기발하다. 청주에 참기름을 살짝 두른 다음, 소금 한 꼬집을 넣고 그대로 입에 털어 넣는다. 짭짤하고 고소한 재미다.

기발한 안주도 여럿이다. 어묵을 꼬아 에어프라이어에 6분간 튀겨낸 어포 느낌의 안주가 있는가 하면, 수육을 빵가루에 튀겨 먹기도 하고, 와플 아이스크림에 오징어 껍질을 튀겨 올려 먹기도 한다.

기발한 것으로 따지자면 칵테일이 빠질 수 없다. 색깔에서 한 번 반하고 담겨 나오는 잔의 무게에 두 번 놀라다가 여러 맛을 한 번에 느낄 수 있어 세 번 놀란다. 청담동의 어느 칵테일 바는 이벤트까지 한 몫 더한다.

요즘은 술맛을 그대로 즐길 수 있도록 안주는 비교적 가볍게 준비하는 게 대세다. 술이 워낙 맛있으니, 안주가 딱히 필요 없을 정도다. 입맛에 따라 서로 다르게 마시기도 하고 블라인드 놀이로 술 안에 무엇을 넣었는지 맞히는 게임을 한다.

기발하게 즐기는 전통주의 맛이 바로 퓨전 전통주의 맛이다. 무거운 술을 가볍게 자주, 그리고 빨리 즐기는 저마다의 비법이 있다. 그래도 가끔은 익어갈 때까지 기다려야 할 때도 있는 법. 관계가 익어가고 술이 익어가길 기다리는 것처럼.

발효주로부터

"퓨전 전통주는 처음이 되는 것이다."
- 인문학 마시는 빨간구두 -

발효주는 곡물이나 과일을 원료로 하여 발효시킨 술이다. 탁주는 녹말이 포함된 쌀, 밀, 고구마와 입국, 누룩, 물을 원료로 발효시킨 후 걸러서 만든다. 맑게 여과하지 않기 때문에 색이 탁해서 탁주다. 탁주를 맑게 여과하면 약주가 된다. 청주는 쌀과 누룩, 물을 원료로 발효하여 맑게 여과해서 만든다.

증류주는 발효주를 증류하여 알코올 도수 20도 이상으로 빚은 술이다. 소주는 곡식 중 녹말이 포함된 원료로 빚은 발효주를 증류해서 만든다. 브랜디는 와인을 증류해서 나무통에 저장한 술이다. 위스키는 발아된 곡류와 물을 발효시켜 증류하여 나무통에 저장한 술이다.

혼성주는 발효주와 증류주를 섞거나 증류주에 약초, 과일, 감미료를 첨가한 술을 말한다. 리큐르는 증류주나 주정에 당분을 넣고 과실이나 꽃, 식물의 잎을 넣어 만든 술이다. 발효주류와 증류주류를 섞거나 쌀 및 입국에 주정을 섞어 발효주이면서 탁주, 약주, 청주, 과실주, 맥주에 해당하지 않는 술은 기타 주류다.

알코올은 미생물의 일종인 효모가 당분을 분해하는 과정에서 만들어진다. 효모는 과일 껍질에도 있는데, 포도를 실온에 두면 술 냄새가 나는 것도 당분이 분해되는 과정에서 나는 냄새다. 빵 만들 때 쓰는 이스트도 효모다. 빵 반죽을 부풀릴 때 사용한다.

밥에도 당분이 있는데 곡식의 당분은 효모가 바로 먹지 못하기 때문에 전분 형태로 들어 있는 걸 당분 형태로 만든다. 이 과정이 '당화'다. 밥을 오래 씹으면 단맛을 내는데, 밥과 침이 만나 당화되어 당분이 된 것이다. 침 속에 당화 효소가 있기 때문이다.

이것이 선조부터 내려오는 씹어서 술을 만든 지혜이다. 조상들은 어떻게 알았을까? 곡식을 씹으면 술이 된다는 사실을! 집에 손님이 오면 그 집안의 여성이 쌀을 씹어 내놓았다고 하는데, 이 술을 '미인주'라고 했다고 하니, '술은 여자가 따라줘야 제맛!'이라는 남자들의 말장난이 이 역사적인 사실을 반영했다 해두자.

술마다 발효 과정이 다르다. 와인은 포도가 주원료이기에 효모가 바로 발효한다. 맥주는 싹이 튼 보리인 맥아를 따뜻한 물에 담가두면 당분이 빠져나와 '맥아즙'이 되는데, 맥아즙과 효모가 만나서 발효된다.

우리나라 전통주는 누룩의 힘으로 쌀에 함유된 전분을 당분으로 변화시키는 '당화 과정'과 당분이 알코올이 되는 '발효 과정'이 동시에 일어난다. 술을 빚기 위해서는 쌀과 물, 그리고 누룩이 필요하다.

전통 누룩(국)은 떡 누룩(병국), 흩임 누룩(산국)으로 나뉜다. 계절에 따라 춘국, 하국, 추국, 동국으로 나누고 색깔에 따라 황국, 흑국, 백국, 홍국으로 나눈다. 전통 누룩은 주로 통밀이나 통보리로 만든다.

전통 누룩으로 술을 빚으면 맛과 향이 풍부하지만, 다양한 미생물이 작용하여 술맛을 균일하게 만들기 어렵다. 그래서 개량 누룩을 사용하기도 하는데 맛과 향의 깊이가 전통 누룩으로 빚은 것보다 못하다.

입국을 사용하면 균체 수가 일정해 술을 빚을 때 효율적으로 관리할 수 있고 술맛이 일정하다. 입국은 고두밥을 지은 다음 순수하게 키운 한 종류의 곰팡이 종균을 넣어 만든다. 따라서 한 가지 곰팡이만 들어 있어서 술맛이 단조롭다는 단점도 있다.

보통 익힌 쌀로 술을 빚는데 죽, 범벅, 구멍 떡, 물송편, 설기떡, 인절미, 고두밥 형태로 만들어 사용한다. 어떤 것으로 빚느냐에 따라 맛과 향이 달라진다. 쌀뿐 아니라 보리 등 곡식도 사용하고 제주도 오메기술은 차조로 구멍 떡을 만들고, 보리로 만든 누룩으로 술을 빚는다.

우리 술은 쌀과 물 비율을 1:1로 술을 빚는다. 쌀과 물의 양과 비율에 따라 술맛이 달라진다. 물의 양을 조절해서 술맛을 조절할 수 있다. 물양이 적으면 부드럽고 단맛이 강하다. 반대로 물양이 많으면 신맛이 강하고 쓰면서 싱겁다.

쌀, 물, 누룩을 섞어 발효시키면 술이 된다. 술은 여러 번 빚어 만드는데, 한 번에 빚어 만든 술이 '단양주'이고, 단양주에 고두밥 등을 한 번 더 넣어 술을 빚으면 '이양주'가 된다. 이 과정을 한 번 더 하면 '삼양주'가 된다.

여러 번 빚는 술을 '중양주'라고 하는데, 술을 빚는 횟수가 많아질수록 맛과 향이 깊어진다. 처음 빚는 술을 밑술, 고두밥을 넣고 빚는 술을 덧술이라고 부르는데, 밑술은 알코올 도수가 높고 맛과 향이 좋은 술을 빚기 위한 것이다.

밑술은 우수한 효모균을 다량으로 배양한다. 알코올 도수가 높고 강한 술을 만들려면 밑술에 고두밥을 넣고 한 번 더 빚으면 된다. 덧술은 멥쌀이나 찹쌀이 주원료가 된다. 덧술을 만들 때 물과 누룩을 더 첨부해서 더 많은 양의 술을 얻기도 한다.

쌀을 익힌 후 누룩을 넣어 골고루 섞어 묽어지면 발효 항아리에 담는다. 효모는 25~30℃에서 활발히 움직인다. 30℃가 넘어가지 않도록 유의해야 한다. 온도가 너무 낮거나 낮지 않도록 잘 조절해야 좋은 술을 만들 수 있다.

밑술 발효는 잠복기, 증식기, 정지기를 거치는데, 잠복기에는 변화가 없고 단맛이 난다. 증식기에는 효모가 활발히 움직여서 보글보글 소리가 난다. 정점에 이르면 그 소리가 시끄럽게 느껴질 정도다. 술맛은 시고 쓰고 떫은 맛이 강하다.

정지기에는 거품이 줄고 단맛이 거의 나지 않으며 신맛이 강하다. 이때 덧술을 하고 항아리 뚜껑을 닫아 외부 공기를 차단하고 이산화탄소를 배출해야 한다. 술이 완성되면 거름망을 이용해 걸러내고 병에 담아 냉장 숙성한다.

이양주 이상의 술은 알코올 도수가 18도 정도인데 1년 정도 두어도 상하지 않지만, 맛은 변할 수 있다. 김치냉장고에 1개월 정도 숙성하면 맛과 향이 깊어진다. 발효주, 그리고 취향에 맞는 음료! 거기에 분위기를 더하면 완벽한 시간이 된다. 알고 마시면 더 배가 되는 퓨전 전통주의 맛이다!

민족의 문화, 전통주

　일본이 우리나라를 지배했을 때, 민족 말살을 시행했던 이유는 민족의 얼이 사라지면 일본화하기 쉽기 때문이었다. 민족의 문화를 말살하는 과정에서 전통주 또한 빼앗아 갔다. 당연한 일이다. 전통주 장인이 술을 빚지 못하면 우리 민족의 술이 사라지고 일본 술만 남을 것이기 때문이다.

　전통주는 한 나라의 정서와 시대를 반영한다. 따라서 생활방식과 역사, 그리고 문화가 담기기 마련이다. 과거부터 이어져 오는 방법으로 만든 전통적인 양조법은 계승하고 보존해야 하는 문화유산이다.

한 지역을 대표하는 술은 그 지역에서 키워낸 농산물을 원료로 하고, 그 지역의 기후나 풍토에 맞게 빚는다. 춥고 건조한 기후는 곰팡이가 번식하기 어렵기 때문에 보리, 밀 등의 곡식을 주로 키운다. 따라서 보리의 낟알인 맥아를 이용해 맥주를 빚는 것이다.

덥고 습한 기후를 가진 지역은 곰팡이가 번식하기 쉬워 곰팡이와 효모를 여러 미생물과 함께 번식시킨 누룩과 쌀, 보리 등의 곡식을 이용해 술을 빚는다. 우리나라는 곡식의 전문을 당분으로 바꾸는데 누룩을 이용하여 쌀, 보리를 원료로 술을 빚는다.

우리나라 전통주는 주로 쌀로 만든다. 술을 빚으면 식혜와 비슷하게 맑은 술이 위에 떠 있고 아래쪽에는 밥알과 누룩의 밀기울이 섞여 가라앉아 있다. 용수로 술독에 박아 그 안에 고이는 술을 떠내면 청주가 된다.

삭은 밥알과 누룩의 밀기울을 걸러내면 작은 앙금이 그대로 빠져나와 탁한 술이 되는데, 이것이 탁주다. 탁주나 청주를 증류기에 넣고 가열하면 알코올과 향기를 내는 성분이 증류되어 농축된 진한 술이 되는데, 이것이 바로 소주다.

증류주는 물과 에탄올을 분리하는 과정인 증류 과정을 거쳐 알코올 도수를 높인 술이다. 술을 가열하면 끓는점에 도달하게 된다. 이때 기체 상태의 알코올이 나온다. 이 기체를 냉각시켜 액체로 만들고 이를 모아 받아내면 증류주가 된다.

증류주를 만들려면 잘 빚은 술이 필요하다. 잘못 빚은 술을 살리겠다고 증류주를 만들었다가는 독성이 생겨 해롭다. 나쁜 향과 맛이 그대로 증류주에 우러나와 마시기 힘들다. 덜 익은 술도 알코올 도수가 낮고 맑지 않다.

잘 여과한 맑은 술인 약주로 증류주를 만드는데, 그렇게 하면 술의 양이 줄어들기 때문에 탁주로 만드는 경우가 많다. 이때, 탄내가 나지 않게 하는 정교한 기술이 필요하고 도수가 높은 발효주를 활용하는 것이 좋다.

증류하면 발효주의 3~4배 높은 도수의 술을 얻는다. 맛있는 증류주는 40도 정도 된다. 증류를 반복하면 알코올 도수가 높아지지만 마시기에 부담스럽고 향미도 날아간다. 독주를 마시고 싶은 게 아니라면 적당히 증류해서 마시는 게 좋다.

증류를 시작하고서 나오는 증류액을 초류라고 한다. 이때는 메탄올 등 안 좋은 물질이 많이 들어 있어 버린다. 다음부터 나오는 증류액이 본류다. 증류기에 넣은 술 양의 대략 3부의 1 정도의 소주를 얻을 수 있다.

증류를 한 번 해서 증류주를 내릴 수도 있고 증류한 술을 2차로 증류하기도 한다. 2차로 증류하면 알코올 순도가 더 높아진다. 상압식 증류를 한 소주는 높은 온도에서 나오는 기름 성분이 있어 술이 뿌예서 기름종이에 흡착하여 기름 성분을 없앤다.

막 내린 소주는 향이 너무 강해서 두 달 정도 가스를 뺀다. 옹기나 오크통에서 숙성 과정을 거치면 산소와 술에 녹아 있는 성분이 산화작용을 한다. 옹기는 미네랄 성분이 있어 맛과 향이 좋아진다.

증류주의 가격은 쉽게 접근하기 힘들다. 증류주가 비싼 이유는 증류주 한 병을 얻기 위해서는 저 알코올 술 세 병이 필요하고 증류해서 내린 술은 긴 시간 숙성해야 한다. 보통 몇 개월에서 1년 이상 걸리기 때문이다. 게다가 증류주는 부과되는 세금 비율이 높다. 술 가격만큼 세금이 다시 붙는다고 생각하면 된다.

담금주는 소주에 과일, 약재를 넣고 우려내서 만든 술이다. 소주는 약재에 있는 좋은 성분을 더 잘 우러나오게 하는 역할을 한다. 담금주에 들어갈 소주는 높은 알코올일수록 좋다. 과일주는 3개월 정도만 두어도 마실 수 있다.

전통주는 민족성을 담아낸다. 전통주를 담그며 역사를 담근다. 일본의 사케, 프랑스의 와인 각 나라를 대표하는 술을 마시며 그 나라의 역사와 전통, 문화에 관해 이야기하다 보면 어느새 그 깊이에 흠뻑 젖는다.

"부어라, 마셔라!" 하는 술 문화는 그만 접어두고 술의 향과 맛을 음미하며 각 나라의 역사와 전통을 이야기했으면 좋겠다. 더불어 자신의 취향을 알고 색을 마음껏 드러내며 개인의 역사를 나누는 문화가 널리 퍼지길 바란다.

세상 사는 맛!

퓨전 전통주

세상 사는 맛!
퓨전 전통주

술이 쓰다고? 쓰다고 하기엔 그 맛의 깊이가 어마어마하다. 정말 쓰기만 하다면 어째서 이리 오랜 시간 동안 마시고 나눌 수 있단 말인가? 술맛은 한마디로 정의하기 힘들다. 다만, 술의 여러 가지 맛 중에 세상 사는 맛이 있다는 것은 확실하다. 특히 퓨전 전통주를 제대로 즐기면 세상 사는 맛이 배가된다.

술이 일종의 도피처로 인식되어 진지, 오래된 것을 안다. '술'이 부정적인 의미로 전달될 때가 많다는 것도 안다. 슬픔과 아픔을 잠시 잊고 싶어 과한 술로, 일시적으로 기억을 지우기도 했음을 인정한다.

술의 의미를 제대로 정의 내리지 못했던 시절, 친구에게 배운 술이 인생을 지배했던 적이 있었다. 해가 지기 전, 밤에 피는 장미가 되어 퇴근길 술집을 그냥 지나치지 못했다. 어느새 친구가 한두 명 늘면서 술자리를 채워갈 즈음, 술이 나를 마셔버리곤 했다.

다음 날, 숙취에 시달리면서 출근했다가 어둠이 깔릴 즈음 다시 피어나는, 아름다운 장미는 어제인 듯 오늘을 반복하며 찬란한 20대를 보내고 있었다. 그 속에 얼마나 많은 이야기가 만들어졌겠는가?

두 번째 스무 살이 지나고 다시 5년! 25년을 마시고 나서야, 술의 진정한 맛을 되새겨 본다. 어린 시절, 술 냄새 풍기는 아버지 품에 안겨 생각했다. '쓰다고 하시면서 왜 마실까?' '술은 쓰다'라는 걸 아버지로부터 알게 되고부터 쓴맛을 내는 술로만 알고 있었다.

첫 번째 스무 살 7월, 친구보다 늦게 배운 술은 두 번째 스무 살이 될 때까지 '쓴 것'으로 알고 마셨다. 그때 우리는 혀에 닿는 맛으로 술을 마시지 않았다. 술도 음식이라는 전제하에 쓴맛을 내는 술을 혀로만 마셨다면 첫해로 끝났을 이야기다.

막 스무 살이 되고 '어른'이라는 타이틀을 맨 철 덜 든 성인 아이들. 해방감을 맛보기 위한 술의 향연, 그때 나는 잠시 두려움을 잊었다. 해방과 책임은 항상 짝이라는 것 또한 잊고 있었다. 그랬기 때문에 생각을 마치기 전에 행동하고 있었으리라.

그래서 이야기는 만들어졌다. 철없는 어린 어른의 술의 역사가 태백산맥을 능가할 즈음, 뭔가가 꿈틀거렸다. 그리고 다시는 술이 어린 어른을 마시지 않았다. 더 이상 어린 어른이 아닌 생각과 행동이 같아진 진정한 어른이 되었기 때문이다.

술은 역사와 사람을 만든다. 술과 친구를 뺀다면 나의 찬란한 스무 살의 역사는 없었을 것이다. 그렇다고 해서 사람이 사라지는 것은 아니니 아마도 다른 삶을 살았을지 모를 일이다. 그래도 나는 술이 좋다. 그래서 술에 취해 길바닥에서 자보지 않은 사람과 인생을 논하는 건 힘이 든다.

뭐든 잘 알고 아는 대로 행하면 탈이 없다. 술도 마찬가지. 술을 제대로 알고 마시면 세상 살맛이 난다. 세상 살맛을 더해 준다. 인생의 의미 하나를 더 하는 것, 그게 술이다. 관계에 술을 더하고, 하루에 술을 섞으면 더 맛있는 관계, 더 풍성한 하루가 된다.

자, 그러면 이제부터 인생을 플러스해 줄 전통주를 하나씩 만나고, 세상에 하나밖에 없는 나만의 퓨전 전통주를 만들어 즐겨볼까?

맛있게 즐기는, 칵테일

　칵테일은 술에 다른 술을 섞거나 과일즙이나 탄산을 혼합해서 맛과 향, 색을 살린 알코올음료를 말한다. 물론 비알코올도 있다. 칵테일의 매력은 재료가 같아도 섞는 비율이나 장식을 어떻게 하느냐에 따라 그 맛과 향이 달라진다는 것이다.

　칵테일은 술의 역사와 함께하는데, 술을 만들어 마시기 시작한 시점부터 과일이나 물을 섞어 강하고 독한 맛을 희석했을 것으로 생각된다. 예로, 이집트에서 맥주에 꿀을 섞어 마셨던 것이나, 로마에서 와인을 생수와 섞어 마신 것을 들 수 있다.

칵테일이 본격적으로 대중화된 게 미국의 금주법이 시행되고, 당국의 눈을 피하려고 주스나 탄산수에 술을 섞어 술이 아닌 것처럼 보이게 했던 것이 시작이다. 칵테일이 우리나라에 들어온 것은 정확하지는 않지만, 미국 대사관이 설치된 이후인 것으로 보인다.

칵테일은 누구나 만들 수 있지만 셰이킹의 숙련도에 따라 칵테일의 맛이 결정된다. 만드는 방법으로는 빌딩, 셰이킹, 스터링, 블렌딩, 플로팅, 머들링, 리밍이 있다. 흔들고 갈고, 휘젓고 으깨고 층을 쌓고 묻히는 기법 등 다양한 방법으로 만든다.

칵테일은 오감을 자극한다. 칵테일 잔의 아름다움에 한 번 반하고, 칵테일의 색에서 한 번 더 반한다. 차가운 칵테일을 즐길 때는 잔을 냉동실에 보관하는 게 좋다. 추운 겨울에는 따뜻하게 데워 먹는 칵테일을 즐겨보면 어떨까?

갈거나 으깨서 만드는 칵테일 기법을 활용하면 특유의 씹는 맛을 즐길 수 있고, 쉐이킹할 때 소리는 청각을 자극한다. 바텐더의 쉐이킹 기술을 보고 있으면 시선과 정신을 한 번에 빼앗긴다.

보드카는 무색, 무맛, 무취가 특징이다. 재료와 혼합하기에 좋고 음료 제조에도 많이 쓰인다. 밀, 호밀, 감자, 옥수수 등으로 쪄서 엿기름, 효모를 섞어 발효시킨 후, 정제하여 탄생하는 보드카는 우리나라에서도 많이 마시는 술이다.

럼은 사탕수수의 당밀을 고온에서 발효시켜 증류하면 만들 수 있다. 향이 강한 럼은 '헤비 럼'이라고 하고, 럼은 '화이트 럼', '골드 럼', '다크 럼'이 있다. 쿠바 전통주인 바카디 럼은 화이트 럼이고, 세계 판매 1위다. 바카디 럼은 모히토를 만드는 데 사용한다.

진은 열을 내리는 효과가 있어 초기에는 약국에서 판매되다가 특유의 향이 사랑을 받으면서 널리 알려졌다. 독특한 향과 은은한 맛을 지녀 사파이어 토닉 등의 칵테일 베이스로 많이 쓰인다.

테킬라는 멕시코에서 큰 산불이 났을 때 용설란이라는 식물에 단맛이 스며들게 했는데 멕시코인들이 이 식물을 발효시켜 증류주를 만든 것이 시초다. 테킬라 함량이 50%가 넘어야 테킬라라는 이름을 붙여 부른다. 이 테킬라를 베이스로 테킬라 선라이즈, 롱 아일랜드 아이스티를 만든다.

위스키는 곡물가루로 녹말을 만들어 물과 보리, 맥아를 섞어 만든다. 양조를 거쳐 발효하여 증류하면 95%의 알코올을 얻을 수 있는데 물을 섞어 만든 게 바로, 위스키다. 위스키는 몰트, 그레인, 블렌디드로 나뉜다. 그중 몰트와 그레인을 섞은 블렌디드 위스키가 점유율이 제일 높다.

프랑스 중서부 코냑 지방에서 생산되는 브랜디를 코냑이라고 한다. 브랜디는 포도, 사과, 체리 등의 과일 발효액을 증류시켜서 만드는 높은 알코올의 술이다. 주로 포도 브랜디를 따뜻하게 데워 마시지만, 알렉산더, 비앤비 등의 칵테일을 만들 때 사용하기도 한다.

리큐어는 위스키, 브랜디 등의 증류주에 설탕이나 과실 등을 넣어서 향과 맛이 나는 술로 우리나라 전통주를 담그는 방법과 닮았다. 독자적으로 마시기보다는 칵테일의 재료로 사용한다. 프랑스에서는 식전에 마신다. 도수가 낮아 여성들이 많이 마신다.

칵테일은 계절마다 즐기기 좋다. 더운 여름, 탄산을 가득 섞은 맛있고 상큼한 칵테일! 생각만 해도 시원하다. 추운 겨울에는 따뜻하게 데워 천천히 마시면 온몸에 온기가 퍼진다. 칵테일은 개인적 취향을 가장 잘 맞추는 술이기도 한데, 좋아하는 맛을 스스로 개척할 수 있는 매력적인 알코올음료다.

서로 다른 술을 섞거나, 과일즙을 넣거나 또 다른 재료를 묻히기도 한다. 테킬라를 스트레이트로 마실 땐 주먹을 쥔 뒤 손등에 레몬즙을 문지르고 그 자리에 소금을 뿌린다. 소금을 혀로 핥아 그 맛이 입에서 퍼지는 순간 테킬라를 원샷하고 바로 레몬이나 라임 조각을 입에 문다. 때로는 커피 가루나 설탕을 함께 먹기도 한다.

서민의 술, 막걸리

막걸리는 우리나라 전통주 중에서 가장 대표적인 술이다. 시중에 파는 막걸리는 싸고 알코올 도수도 4~6도 정도로 마니아층이 두껍다. 쌀, 밀, 고구마 등 녹말이 포함된 원료와 국 및 물과 함께 발효시키면 위에 맑은 술이 떠 있고 바닥에는 삭은 밥알과 누룩의 밀기울 등이 섞여 있다.

맑게 걸러진 술이 약주고 남은 앙금에 물을 섞어서 체에 막 걸러내서 만든 게 바로, 막걸리다. 요즘 파는 막걸리의 알코올 도수는 5도 정도이다. 시중에 파는 일반적인 맥주 알코올 도수와 비슷하다.

요즘 막걸리는 청주를 떠낸 나머지가 아니라, 온전한 술 그대로 물을 넣어서 도수를 맞추어 만든다. 막걸리 종류도 많아서 맛도 다양하고 가격대도 천차만별이다. 색도 어찌나 다양한지, '이게, 막걸리 맞나?' 싶은 생각이 들 정도다.

멜론을 섞은 연두 막걸리, 포도를 넣은 보라 막걸리, 딸기를 넣어 만든 빨간색 막걸리! 그야말로 색도 맛도 다양한 퓨전 막걸리가 쏟아지고 있다. 참으로 취향껏 즐길 수 있어 다채롭다. 막걸리를 마시는 스타일도 저마다 개성이 넘친다.

『길 따라, 술 따라 혼술 인문학』의 김준희 작가는 막걸리를 즐기는 진정한 술꾼이다. 막걸리를 적당히 돌려 위아래가 섞인 순간에 뚜껑을 열고 마시기 좋아한다. 집에서 혼술을 즐기는 그녀는 여느 때와 다름없이 혼술을 즐기고 있었다. 그날따라 많이 흔들었는지 천장으로 치솟는 막걸리를 어쩌지 못하고 그대로 내려받고 말았다.

나는 막걸리를 위 맑은 부분만 마셨다. 그런데 막걸리는 섞어 마셔야 제맛이라는 걸 김작가를 통해 알았다. 이젠 걸쭉하게 마셔야 막걸리의 제맛이 느껴진다. 막걸리의 탁한 부분에 영양소가 잔뜩 있다는 걸 알고 나서 의식적으로 더 섞어 마시게 되었다.

막걸리 빚는 소리를 들어본 적 있는가? 멥쌀, 찹쌀 등 전분을 가진 곡물과 누룩, 물이 어우러져 시간이 지나면 항아리에서 보글보글 끓는 소리가 들려온다. 불을 지피지도 않았는데 마치 항아리에 불을 지핀 듯 거품이 나는 게 무척 신기하다.

경남 밀양 표충사 길목에 자리한 양조장 주인이 지은 막걸리 시의 일부를 읊조려 본다.

어머니의 향이 풍기는 고두밥을 항아리에 가득 채우고
쥐도 고양이도 알지 못하게 숨겨 놓았다.
항아리 안에는 효모가 아무도 보지 못하는
어둠 속에서 춤을 춘다.
뜨거운 방에 이불을 덮어쓰고 보글보글
땀을 흘리며 나의 코를 자극하기도 한다.
가끔은 여인네의 젖가슴처럼 부풀어 오르기도 한다.

술덧에 거품이 이는 것은 눈에 보이지 않지만, 누룩 속에 효모가 왕성하게 활동하기 때문이다. 효모의 왕성한 활동은 불 없이 물이 끓는 소리를 낸다. 물에서 난데없이 불이 난다고 해서 '수불'이라고 한다. 이 수불이라는 말에서 '수울'로 다시 술로 변했다는 설도 있다.

막걸리는 도수를 낮추고 양을 늘리기 위해서 익은 술덧이나 청주를 뜬 후 남은 지게미에 물을 넣어가며 체에 거른 술이다. 막걸리는 탁주류의 하나로 물을 쳐 가며 거른 술이다. 맑게 고인 술을 뜨는 청주와는 다르게 투박하다.

막걸리의 정확한 기원을 알 수 없지만, 농경사회가 시작된 때 빚어졌을 가능성이 높다. 원료나 주법에 대해서는 나와 있지 않지만 『삼국사기』에서 지주(旨酒)라는 말이 나오는 걸 보면 삼국시대에 이미 술이 있었음을 알 수 있다.

나도 별명이 많지만, 나를 능가하는 게 바로 막걸리다. 대국의 글을 빌려 쓰던 조선시대까지 탁주(濁酒), 탁료(濁醪), 백주(白酒), 회주(灰酒) 등 한자로 표기했다. 농사지을 때 마시는 술이라고 해서 농주, 나라를 대표한다고 해서 국주, 서민들이 많이 마시는 술이라 해서 서민주라고 불렸다.

지역에 따라 막걸리, 막걸레, 전내기술, 뻑뻑주, 탁바리, 모주, 탁주배기, 탁쭈, 대포, 흐른 술 등 다 열거하기도 어려울 만큼, 별명이 많다. 역사가 오래된 만큼, 찾는 사람이 많은 만큼, 많은 양이 소비된 만큼 별명도 많다.

시대에 따라 술은 인식이 달라지지만, 막걸리는 지금도 서민의 술, 저렴한 술, 계급이 낮은 사람이 마시는 술이라는 인식이 짙다. 그렇지만 많은 사람이 막걸리를 찾고 즐긴다. 이규태는 『한국인의 밥상문화』에서 '막걸리는 반귀족, 반유한, 반계급이라는 민주주의를 구현하는 철학을 지닌 술이다'라고 말했다.

막걸리는 주로 쌀로 밥을 지어 빚는데, 1965년, 막걸리 제조에 쌀 사용을 금하는 '약곡관리법'이 발표되면서 수입된 밀가루로 막걸리를 빚었다. 이른바, 밀가루 막걸리다. 이때 전체 술 소비량에 80%를 차지하기도 했다.

다시 쌀막걸리 제조가 가능해진 1990년, '부산양조'는 "쌀로 빚은 막걸리를 출시했다. 기존 밀가루 막걸리와 차별화하면서 쌀막걸리라는 걸 강조하기 위해서 밥풀을 띄운 후 '동동주'라는 이름을 붙였다.

그전에도 동동주라는 말이 있었지만, 대중적으로 알려진 건 이때다. 그런데 막걸리에 맛을 더해 동동주라는 이름을 붙이고 비싸게 팔기도 했다. 늦깎이 대학생이었던 나는 학교 근처 동동주 집에서 자주 술을 마셨는데 지금 생각해 보면 막걸리에 단맛을 더하고 예쁜 병에 담아 비싸게 팔았던 것 같다.

대학 시절, 수업 전과 후에 주로 찾던 저가 고깃집에서도 동동주를 팔았는데 사실 나는 고기보다 동동주를 마시기 위해 그 집을 자주 찾았다. 달리 안주도 필요 없는 동동주를 벌컥벌컥 마시다 보면 어느새 식사까지 해결됐다.

주머니 사정이 좋지 않은 새내기는 동동주보다는 소주나 막걸리를 마셨다. 때로는 캠퍼스에서 가볍게 즐기기도 했다. 지금도 막걸리는 다른 주류보다 판매가가 저렴하다. 그러나 원가 면에서는 저렴하지 않다. 소주와 맥주에는 높은 주세가 붙는 것에 비해 막걸리 주세는 매우 낮다.

조선시대까지만 해도 집마다 고유의 술을 빚었다. 발효 음식에 뛰어난 한민족이다 보니 술빚는 건 일도 아니었다. 누룩과 곡류, 그리고 맑은 물로 빚는 술이니, 얼마나 맛있을까? 가양주가 많았던 우리나라는 집마다 술을 빚고 가(家)마다 고유의 술이 있는 나라였다.

맛과 멋, 사케

사케는 일본의 술이라는 뜻이다. 모든 술을 맥주, 소주, 양주로 말하듯 보통명사로 쓰인다. 사케는 추운 겨울날, 따뜻하게 데워 마시면 그 맛이 한층 더해진다. 사케는 쌀과 쌀누룩, 물로 발효시킨 술이다. 알코올은 15도 정도 된다.

사케가 만들어지는 시간은 4개월 정도인데, 우리가 만나는 사케는 거기서 3월 혹은 8개월이 더 지난 후의 사케이다. 그만큼 시간과 정성이 필요한 술이라는 말이다. 사케는 일본에서 두 번째로 많이 마시는 술이다. 알코올 도수가 높다 보니 중장년층이 많이 즐긴다.

사케는 부드러운 것 같지만 향이 강한 술로, 요즘 화장품이나 아이스크림 또는 조미료로 사용되기도 한다. 사케를 함께 마실 때는 상대의 술이 비었는지 자주 확인하는 것이 좋다. 잔이 아주 작기 때문이다. 사케가 담긴 병도 도자기 술병이라 아름답다는 게 특징! 보는 재미가 있다.

사케 양조장은 1,000여 개도 남아 있지 않다. 그마저도 점점 사라지는 추세다. 사케의 다양한 맛을 많은 사람이 즐겼으면 좋으련만 아쉽기 짝이 없다. 사케는 맥주와 달리 그 맛을 음미하며 천천히 마시면 좋은 술이다. 사케의 깊은 맛을 즐기는 마니아층이 늘고 있다.

특히 요즘 사케는 맛이 깊고 개성이 넘친다. 품질 또한 최고다. 사케의 진정한 맛을 즐기기 위해서는 대량생산, 기계화에서 벗어나서 직접 빚는 양조장 술을 마셔야 한다. 손이 많이 가기 때문에, 적은 양을 생산하고 만드는 사람마다 특유의 맛이 살아있다.

사케의 주재료는 쌀이다. 예전에는 쌀을 생산하는 사람과 사케를 빚는 사람이 달랐다. 최근에는 자체적으로 벼농사를 짓고 직접 재배한 쌀로 술을 빚는 사람이 많아졌다. 좋은 술을 빚기 위해서는 좋은 쌀이 필요하다. 좋은 쌀을 재배하기 위해서는 많은 수고가 있어야 한다. 그만큼 좋은 술을 빚는다는 것은 시간과 정성이 필요한 일이다.

사케의 맛은 아주 다양한데, 감칠맛이 강하고 진한 과일 맛이 나는 사케도 있다. 최근에는 신맛을 느낄 수 있는 사케도 많이 즐긴다. 사케는 가벼운 안주와도 어울리고 배를 채울 수 있는 요리와도 잘 어울린다. 전채요리나 중국 요리와도 어울리는 사케의 색깔은 아주 다채롭다.

사케의 알코올 도수는 10도에서 14도 사이인데, 높은 사케는 24도에서 36도, 낮은 사케는 10도 이하도 있다. 사케를 숙성하기도 하는데, 2~3년의 짧은 기간 숙성하기도 하고, 15년간 길게 숙성하기도 한다.

사케를 숙성하면 숙성하지 않은 사케보다 더 부드럽고 깊은 맛을 느낄 수 있다. 사케는 물을 타서 알코올 도수를 낮추기도 하는데, 20도 이상의 사케는 물을 섞지 않은 술이다. 물을 첨가하지 않은 사케를 겐슈(原酒)라고 한다.

사케를 만들기 위해서는 약 80%를 차지하는 물, 사케의 맛과 향을 결정하는 쌀, 쌀에 곰팡이를 번식시켜서 효소를 만들어 낸 국(麴), 당을 분해해서 알코올과 탄산가스를 생성하는 미생물, 효모가 필요하다.

긴 시간과 과정이 필요한 사케는 만드는 과정에서 조금이라도 소홀했다간 술이 변할 수 있다. 무녀들이 곡물을 입에 넣어 씹어 술을 만들던 때를 제외하고는 여성이 양조장에 출입하는 것을 엄격하게 금지됐는데 부정이 타지 않도록 하기 위해서라고 한다.

사케는 증미, 국, 주모, 술덧, 시판제조 과정을 거친다. 현미를 백미로 다시, 증미로 만들어 누룩을 만든 후 물을 더하고 순수 효모와 양조용 젖산을 더해서 주모를 만든다. 마지막으로 주모를 3회에 걸쳐 증미와 누룩, 물에 더해 술덧을 만들고 나면 술덧을 짠 후 시판에 들어가기 위한 포장 작업을 한다.

술은 과하면 독이 되지만 적당히 마시면 몸에 좋은 약이 된다. 소량의 음주는 인슐린의 기능을 올려 주고 당뇨 발병을 낮추며 심장질환 방지에도 도움이 된다는 연구가 많다. 장수 국가인 일본에서는 사케가 건강에 미치는 영향에 관한 관심이 높아지고 있다.

쌀로 만든 술인 사케는 한 잔만 마셔도 150kcal 열량을 낼 수 있고 아미노산, 비타민 등 약 100가지가 넘는 물질이 함유되어 있다. 사케의 아미노산은 보통주의 4배다. 특히 글루타민산은 뇌의 활동, 알라닌은 면역을 높인다. 또한 아르기닌은 정자 수를 증가시키는 역할을 한다. 그 밖에도, 누룩산을 함유한 발모체가 두피와 모근에 영향을 주어 탈모를 예방하는 효과가 있다.

뇌 기능 연구소가 사케에 의한 뇌 기능 활성화에 관한 연구를 한 결과 사케 2잔을 마신 사람의 뇌가 그렇지 않은 사람에 비해 더 활성화되었다고 발표했다. 그뿐 아니라 또 다른 연구에서도 학습 능력, 기억력에 도움이 되고 건망증 완화에 효과가 있다고 발표했다.

오사카부립성인센터의 사코 마코토 박사팀과 츠쿠바 대학은 적당량의 사케가 혈액 응고를 억제하는 작용을 한다고 발표했다. 사케를 하루 3잔을 마시는 사람은 그렇지 않은 사람이나 금주자에 비해 혈장 피브리노겐치가 현저히 낮았다고 밝혔다.

사케가 스트레스 해소에도 도움이 된다는 것은 중요한 사실이다. 스트레스는 면역을 저하시키고 모든 질환의 원인 제공자다. 스트레스가

심해지면 혈관이 수축되어 혈액 순환에 문제가 생기는데, 사케는 혈관을 확장 시키는 물질이 포함되어 있다.

그런데 사케와 함께 먹으면 안 되는 음식이 있다. 사케와 차는 함께 마시면 독이 되는데, 술을 마시고 차를 마시면 술기운을 신장으로 보내 신장의 수분을 덥게 한다. 따라서 신장이 손상될 수 있고 허리나 다리가 무거워지고 방광이 냉해지고 아플 수 있다. 그러니 사케를 마신 날에는 차를 멀리하시길!

사케는 맛과 향에 따라 큔슈, 소슈, 쥰슈, 쥬쿠슈로 나눈다. 큔슈는 맛이 부드럽지만 향이 강하기 때문에 에피타이저나 식전주로 마신다. 소슈는 맛과 향이 모두 부드럽게 때문에 생선회나 두부, 달걀, 샐러드와 같은 담백한 요리와 잘 어울린다.

쥰슈는 맛이 진하지만 향은 부드러워 전통 요리나, 생선, 참치, 치즈와 어울린다. 쥬쿠슈는 와인처럼 숙성해 맛과 향이 강하기 때문에 튀김, 스테이크, 구이, 지방이 많은 음식과 먹으면 좋다.

우리나라에 사케가 유행하기 시작한 것은 2002년이다. 일본식 선술집이 생겨나고 잘 되는 가계도 많았지만, 실패하는 곳도 많았다. 다른 업종도 마찬가지지만 특히 술집은 고객의 니즈를 잘 파악하는 것이 중요하다. 사케를 판다는 것은 술만 파는 게 아니다. 사케는 술이기도 하지만 하나의 문화이기도 하기 때문이다.

충성도 있는 고객을 확보하기 위해서는 손님들에게 사케가 지닌 문화적 요소를 이야기해주고 사케와 어울리는 음식에 대한 조언과 정보를 제공할 수 있어야 한다. 포화 상태인 주점들 사이에서 살아남기 위해서는 색깔 있는 컨셉에 따른 그 점포만의 인테리어도 중요하다.

사케는 종류가 다양해서 골라 마시는 재미가 있다. 사케 마니아들은 일본 지방의 특산주는 지역 사케를 따져가며 마신다. 사케는 15도 내외로 쉽게 취하지는 않지만 많이 마시면 다음 날, 숙취로 고생하기 딱 좋다.

사케를 함께 마실 때는 잔이 비기 전에 따라주는 것이 예의다. 품질이 좋은 사케는 차게 마시는 것이 좋고 음식의 맛을 돕는 역할을 한다. 사케는 와인처럼 테스팅 전문가가 있다. 사케에 대한 지식을 갖고 손님을 도와주는 사람을 '기키자케시'라고 한다.

즐기기보다, 와인

와인은 과일에 비해 보관 기간이 길고 물만 타도 양을 늘릴 수 있어서 쉽게 속일 수 있었다. 용기의 크기를 달리하거나 양을 조작하는 속임수가 가장 빈번하고 생산 지역이나 빈티지를 속여서 싼 와인을 값비싼 와인으로 속여 팔기도 했다. 오죽했으면 사기의 역사와 와인의 역사가 함께 탄생했다는 말이 있을 정도다.

와인은 7천 원부터 2천만 원이 넘는 것까지, 가격 차이가 크다. 와인 가격이 결정되는 것은, 주로 만들 때 시간과 인력 투자에 따라 달라진다. 포도를 수확할 때부터 들어가는 시간과 인력 투자는

다르다. 기계로 하느냐, 사람이 하나하나 따르냐에 따라 가격은 하늘과 땅만큼 벌어진다. 가장 큰 요인은 소비자가 얼마나 소비하느냐 하는 것이다.

와인은 선물로도 제격인데, 너무 비싼 와인은 선물이 아니라 부담이다. 수십만 원대가 아니라도 적당한 가격에 좋은 와인을 발견할 수 있다. 마트나 편의점에서 쉽게 볼 수 있는 와인보다는 쉽게 가격을 알 수 없는 것으로 선물하는 것이 좋다.

고마운 분에게 드릴 선물을 고르기는 쉽지 않다. 상대가 술을 즐긴다면 와인이 최고의 선물이 될 수 있다. 합리적인 가격대에서 질 좋은 와인을 잘 고르면 고급스러운 이미지를 선물할 수 있다. 어떤 선물보다 아름다움을 지닌 와인을 찾아보자.

〈몰리두커, 더 복서〉   〈샤토 베이슈벨〉 〈파 니엔테, 샤도네이〉   〈모젤 크리스마스 로젤&리슬링〉

선물하는 이유에 맞는 와인을 선택하면 단순한 선물이 아닌 특별한 의미를 담아 전달할 수 있다. 시작을 축하하는 선물을 할 땐,

사토 베이슈벨이 좋다. 큰 돛이 달린 배가 그려져 있어 순풍에 돛 단 듯 막힘없이 나아가는 앞날을 빌어주는 의미를 담을 수 있기 때문이다.

몰리두커, 더 복서의 레이블에는 뽀빠이같이 생긴 근육이 우람한 복서가 서 있다. 이 복서는 왼손잡이다. 몰리두커의 오너 부부는 모두 왼손잡이이고 와이너리 명인 몰리두커 역시 왼손잡이를 일컫는 호주 방언에서 유래했다.

남들과 다른 자신만의 무기로 싸우는 복서처럼 지금 상황을 헤쳐 나가길 기원하는 마음으로 선물할 수 있다. 몰리두커의 와인은 자연 보존제인 질소를 사용한다. 그래서 와인을 글라스의 절반을 따른 뒤 다시 마개를 덮어 병을 흔들어 질소가 올라오면 다시 열어 배출시키고 마신다.

유명 인사들이 사랑해서 유명세를 따라 타고 애용된 와인도 있다. 샤토 니엔테, 샤도네이는 배우 고소영과 장동건의 결혼식에 사용된 것이 알려지고, 오랜 시간 동안 와인숍에 문의가 빗발쳤다. 와인은 유행을 타고 흐른다.

크리스마스에 즐기는 모젤 크리스마스 로젤&리슬링은 병 모양부터 크리스마스트리다. 크리스마스가 되면 많이 소비되는 와인이다. 높은 도수의 와인을 즐긴다면 쉬라즈 와인이, 독한 것이 싫다면, 피노 누아 와인이 좋다.

와인이 꼭 격식을 차려야 하는 자리에서 마신다는 편견을 버리는 게 좋다. 평소에도, 여행 중에도 와인은 분위기를 살려준다.

〈핀카 바카라, 하이〉　　　　〈그랑꼬또〉　　　　〈몬테스 알파〉

와인의 정가를 믿어서는 안 된다. 할인가가 난무하는데, 사실 할인가가 정가라고 봐도 무방하다. 와인매장을 방문할 때, 직원이 다가오면 어느 수입사에서 나왔는지 물어보라. 그러면 와인에 대해 좀 아는 사람으로 인식한다. 그때, 장터 할인가로 나온 와인 추천해 달라고 하면 된다. 추천받은 와인은 '와인서쳐 앱'을 이용해 확인하고 그 가격과 같거나 적으면 구입하면 된다.

와인이 소수 계층의 음료인 것처럼 떠받들던 시대가 있었다. 어떤 와인을 마시느냐에 따라 사회적 지위를 가늠하기도 했다. 하지만 그것이 와인의 진정한 모습은 아니다. 누구나 편하게 와인을 즐길 수 있다.

그야말로 와인은 피로와 긴장을 풀어주는 도구이어야 한다. 척하면서 마시는 술이 아니라 와인 초보자, 애호가 상관없이 편안함으로 와인을 즐기는 게 중요하다. 우리가 술을 마시는 이유를 생각해 볼 때 그것이 와인을 대하는 가장 올바른 태도가 될 것이다.

와인을 만나면 설렌다. 맛이 좋고 긴장감을 풀어주는 데다 영양소도 풍부해서 건강에도 좋다. 몸에 해로운 술을 마신다는 죄책감에서 벗어나게 해주는 최고의 알코올음료. 그런데 사실은 와인을 접할 때면 왠지 정복해야 할 대상으로 여겨지기도 한다. 와인을 공부하지 않고 마시는 것이 왠지 무지한 행동 같이 느껴지기까지 하니 말이다.

내가 처음 와인을 만났을 때, 그 맛에 반해 맥주처럼 마시다가 큰일을 겪은 것처럼, 어쩌면 몸에 좋은 음식을 해롭게 만드는 우를 범한 건지도 모른다. 그렇다고 해서 지레 겁부터 집어먹을 필요는 없다. 겪어가며 배우면 그만인 것을.

나에게 맞는 와인을 찾아 음미하고 즐기다 보면 와인의 공통점과 차이점을 자연스레 알게 된다. 와인에 정통한 사람과 함께 와인에 관한 이야기를 하며 천천히 음미하다 보면 자연스레 배우게 되는 것이다. 와인은 외우거나 정복해야 할 대상이 아니다.

유달리 소주만 찾는 한국인 중 한 명이었던 나는 소주가 주는 강렬함과 가성비를 동시에 채워주는 와인을 찾고야 말았다. 목을 타고 넘어가는 느낌을 하나하나 느낄 수 있는 소주처럼 강한 맛을 가진 와인, '브루스코 데이 바르비'는 2만 원대로 가성비까지 좋다.

좋아하는 음식을 만나면 자연스레 그에 맞는 술이 생각난다. 워낙 뭐든 맛있게 잘 먹는 식성이라 술도 뭐든 잘 마시나 보다. 잘 구워진 소고기 등심을 보면 자연스레 와인 한 모금이 간절해진다.

　와인은 부어라 마셔라 하는 술이 아니다. 사람과 사람이 만나 소통하며 여유롭게 즐기는 알코올음료이다. 혼자 혹은 같이 즐기는 홈술로의 와인도 매력적이다. 소수가 즐기던 와인이, 많은 사람의 삶에 들어왔다. 그만큼 자신만의 색깔을 드러내며 맘껏 즐길 수 있게 되었다. 퓨전 전통주로서의 와인! 삶에 여유를 더하고 색을 더하기에 안성맞춤이다.

폭포수처럼, 맥주

　여름날, 머리가 띵 할 정도로 차가운 맥주가 폭포수처럼 입안으로 쏟아져 들어온다. 벌컥벌컥 마실 때 맥주의 참맛을 느낄 수 있다. 이 시원한 목 넘김으로만 맥주를 논하기엔 역사적 차원에서 매우 아쉽다.

　인류 역사상 가장 오래된 술이 맥주라는 주장이 있다. 술에 관한 기록 중에 가장 오래된 것이, 중동 지역 유프라테스강 유역에서 발견되었다. 기원전 4,000년경 수메르인의 점토 위에 맥주에 관한 설형문자 기록이 나온다.

기원전 1,800년경 수메르인들의 술 여신 닌카시에게 바치는 노래 가사에 맥주 제조 방법이 기록되어 있다. 기록 속 최초 맥주와 오늘날 우리가 마시는 맥주는 차이가 있다. 귀리로 만들었기 때문에, 발효 효율이 아주 떨어졌다. 걸쭉한 액체를 빨대로 빨아 마셨을 것으로 추정된다.

　맥주는 액체 빵이라고 불리는데, 빵보다 에너지 밀도가 높아서 식사를 대신할 수 있다. 충분한 열량과 수분을 공급하고 피로를 풀어주며 근육 이완 작용을 도와준다. 그래서 맥주는 '마시는 빵'이라는 별명을 가지게 된 것이다.

빵과 맥주는 곡물을 원재료로 발효 시간이 필요하다는 점이 닮았다. 맥주가 마시는 빵으로 불리는 진짜 이유를 역사적 가설 속에서 찾아보면 인류가 이동 생활을 접고 정착하여 생활하게 된 계기가 맥주를 생산하기 위함이라는 것이다.

신석기 시대 사람이 자연에서 우연히 맥주를 발견했고 마시면 기분이 좋아지는 맥주를 계속 맛보기 위해서 농사를 짓기 시작했다는 학설이다. 많은 맥주 전문가가 이 학설을 지지한다. 발효의 개념을 몰랐던 옛 선조들은 자연이 내린 선물로 여겼을 것이다.

고대 죽 형태의 맥주는 알코올 함량이 2% 이내다. 고대인들은 이 맥주 죽을 소중히 여겨 제사를 지낼 때도 신에게 맥주를 바쳤다. 맥주는 영양이 부족한 사람에게는 훌륭한 영양원이 되어 주었고, 당시 사냥과 채집만으로는 부족했던 열량 보충에 큰 도움이 되었다.

고대, 자연에서 동물이 자신도 모르는 사이에 만들어 놓은 술, 나무통 안에 물과 곡물이 섞여 발효된 것을 사람이 발견하게 하고 우연히 마시게 됐다. 첫 경험의 아찔함 같은 몽롱함을 느꼈을 사람들. 다시 그 느낌을 가지기 위해 스스로 술을 빚게 됐을 고대인들을 상상하면 내가 첫술을 마셨던 날 느낀 오묘함이 떠오른다.

인류의 첫술! 맥주는 그렇게 우연히 우리 곁으로 왔다. 맥주는 크게 에일과 라거로 나뉘는데, 에일은 상온에서, 라거는 저온에서 발효한다. 영국과 아일랜드에서는 에일이, 독일에서는 라거가 발달했다.

자연 발효 맥주를 람빅이라고 하는데, 벨기에 파요텐란트 지역과 브뤼셀 일대를 중심으로 생산된다. 람빅은 일반 맥주와 달리 인공적으로 배양한 효모를 사용하는 대신, 대기 중에 떠도는 균체를 이용해 자연환경에서 발효하는 맥주다.

람빅은 발효 과정에서 세심하게 다루어야 하지만 일단 완성되면, 밀봉만 잘하면 시간이 아무리 지나도 맛이 변하지 않아 사실상 유통기한이 없다. 람빅이야말로 고대 수메르나 이집트에서 만들던 맥주의 원형이라고 할 수 있다.

식초와 비슷한 신맛과 치즈 냄새가 나는데 심한 냄새 때문에 접근하기 쉽지 않아 호불호가 갈린다. 람빅 원액에 다른 재료를 섞거나 요리의 조미료로 사용되기도 한다. 람빅을 넣으면 치즈와 식초가 동시에 들어간 풍부한 향을 낸다.

람빅의 종류는 다양하다. 다른 맥주와 다르게 오염에 강하기 때문에, 퓨전으로 즐길 수 있다. 과일과 섞거나 람빅 원액끼리 섞기도 한다. 강한 신맛 때문에, 설탕을 첨가해 중화해서 마시는 사람도 있다. 그러나 람빅 마니아는 그런 행위를 경멸하기도 한다.

람빅에 체리를 첨가한 것을 크릭이라고 하며 매우 대중적이다. 라즈베리를 넣은 프람브와즈, 포도를 넣은 카시스, 복숭아를 넣은 페슈가 있다. 1년 미만의 원액과 3년 정도 숙성된 원액을 블렌딩한 람빅이 괴즈다. 람빅에 설탕을 첨가해 만든 것이 파로다.

맥주는 알코올 도수가 대체로 낮아 부담스럽지 않다. 그래서 시작하는 술로, 또 마치는 술로도 제격이다. 한 가지 부담스러운 건 인격이라 속이고 싶은 뱃살의 주범이 맥주라는 인식이다. 그런데 맥주 열량은 혈액 순환과 체온 상승에 다 쓰이고 체내에는 거의 쌓이지 않는다는 게 학자들의 견해다.

물론 3,000cc 맥주를 매일 마시거나 고열량의 안주와 함께 마시고 먹는다면 이야기는 달라진다. 100g당 43kcal의 열량을 가지고 있는 맥주를 매일, 그것도 고지방, 고탄수화물 안주와 함께 마실거라면 다시 생각을 정리하고 행동하길 바란다. 무엇이든 과하면 화가 된다. 맥주와 안주가 과하면 배가 되고야 만다.

맥주와 어울리는 안주는 뭐가 있을까? 우리나라에서는 망설임 없이 당연히 치킨이다. '치맥'이라는 말이 아주 오래전부터 있던 본래의 언어같이 느껴질 정도다. 우리나라에 치맥이 있다면 독일에는 '족맥'이 있다. 독일인들의 족발 사랑은 우리나라 치킨 사랑을 능가한다.

중세에 금식 기간에 허기진 수도사들이 수도원에서 돼지를 몰래 구워 먹던 것이 알려지고 전통음식으로 자리 잡아 지금까지 즐기게 되었다는 이야기가 전해진다. 우리나라에서도 학센과 맥주를 함께 마신다. 그 밖에 피자, 햄버거 등 맥주와 요리 궁합이 다양해지고 있다.

19세기 중반 프랑스의 생물학자인 루이 파스퇴르에 의해 맥주 발효 과정에서 효모의 작용이 밝혀지기 전까지는 아무도 맥주와 효모의 연관성을 알지 못했다. 파스퇴르가 맥주 발효를 연구하는 과정에서 효모의 작용을 알아내면서 맥주 역사에 큰 획을 긋게 된다.

3대 맥주 발명은 프랑스 루이 파스퇴르의 저온 살균법, 독일 칼 린데의 암모니아식 냉동기, 덴마크 에밀 한센의 순수 배양법이다. 저온 살균법은 우유에 앞서 맥주의 변질을 막기 위해 시행되었다. 칼 린데는 액상 암모니아를 이용한 냉동기를 개발해 저온 발효 숙성 라거 맥주를 계절과 상관없이 양조할 수 있게 됐다.

나의 첫사랑 버드와이저는 100년 넘게 상표권 분쟁 중이다. 미국 맥주 버드와이저와 체코 맥주 부데요비츠키 부드바르의 해묵은 상표권 분쟁이 100년 넘게 이어져 오고 있다. 얼핏 보기에는 버드와이저와 부데요비츠키 부드바르는 이름부터 다른데 무슨 상표권 분쟁이 있을까?

부데요비츠키를 독일어로 표기한 것이 버드와이저다. 1895년 부드바르 제품명 앞에, 부데요비체에서 만들었다는 의미로 부데요비츠키 부드바르, 그러니까 버드와이저 부드바르라는 상표를 달고 맥주를 생산했다.

그런데 1876년 독일계 미국인, 아돌푸스 부시가 부데요비체 스타일의 맥주를 미국에서 만들며 버드와이저로 상표등록을 마쳤다. 1907년, 체코에서 상표권 문제를 제기했고 나라별로 100건이 넘는 소송이 아직도 진행 중이다.

사실 체코 버드와이저와 미국 버드와이저는 스타일이 완전히 다르다. 상표권 소송 이슈는 어느 버드와이저 할 것 없이 전 세계에서 버드와이저 사랑을 더 깊게 만들어 주는 계기가 되고 있다. 일종의 노이즈 마케팅 효과다.

나의 첫사랑 버드와이저가 전 세계인들의 사랑을 받는 걸 보면 묘한 감정이 든다. 질투가 나면서도 '내 첫사랑이 참 멋지구나' 하는 자랑스러움이 묘하게 섞인다. 어쨌든, 맥주는 전 세계인들의 폭넓은 사랑을 받고 있다. 한 여름날, 뜨거운 햇볕 아래에서 폭포수처럼 입속으로 떨어지는 맛은 무엇과도 바꿀 수 없는 열정적 사랑이다.

자연이 준 선물, 위스키

위스키는 곡물이나 감자를 발효한 뒤에 증류, 숙성해 만든다. 도수가 높고 깊은 맛이 있다. 위스키는 단식 증류 방식으로 만든 싱글몰트와 여러 증류소에서 만들어진 위스키를 서로 섞어 연속식 증류 방식으로 만든 블렌디드 위스키가 있다.

사실, 위스키는 일상적으로 즐기기엔 경제적으로 부담스럽다는 인식이 있다. 위스키는 소위 좀 사는 사람이 마시는 양주 정도로 여겨졌다. 와인은 고급술로 생각하지만, 위스키는 맥주와 섞어 마시는 폭탄주 정도로만 기억에 남는다.

나의 첫 위스키는 스무 살, 피 끓는 청춘의 어느 여름, 거래처 여사장님이 사주신 뜨거움이었다. 내 기억 속의 위스키는 뜨거움으로 기억된다. 빈속에 들이킨 첫 잔의 뜨거움! 혀를 거치지 않고 목을 때리고 식도로 넘어가는 액체의 뜨거움이 아직도 느껴지는 듯하다.

몇 잔을 마셨는지 알 수 없을 무렵, 내가 아닌 내가 되어 헤매다 결국은 집이 아닌 곳에서 정신을 차린 기억이 젊은 날의 위스키에 대한 내 기억이다. 맥주로 입을 축이고, 스트레이트로 세잔, 그리고 그 둘을 섞어 폭탄주로 마시다 벌어진 일이었다. 위스키가 어떤 술인지 그때 알았다면 그런 우를 범하지는 않았을 터.

젊은 날의 음주란 맛과 멋을 모르고 즐기는 거라면, 나이가 들어선 취향에 맞게 절제하며 즐기는 것이다. 위스키도 품위 있게 절제하고 음미하며 즐기는 것이 위스키에 대한 예의다. 그럼, 이제부터 값어치 하는 위스키에 대해 자세히 알아볼까? 자기 전, 위스키 한 잔이 꿀잠을 불러온다는 사실을 기억하면서.

위스키는 만들어지는 시간에 비해 싼 주류다. 10년이 걸려 만나는 위스키가 10만 원도 안 한다면 저렴한 편! 우리나라에서 만드는 담금주 같은 경우에도 10년, 혹은 그 이상의 시간을 기다리고 또 기다려 생에 중요한 순간에 개봉하지 않는가? 그 담금주의 값을 어찌 매길까!

대량 생산되어 나오는 화학주와는 비교도 되지 않는 기다림의 미학! 그것이 주는 깊음과 설렘! 내가 전통주를 사랑하는 이유이자, 퓨전 전통주를 알리고 싶은 이유다. 시간을 깔고 깊이를 더하면 만남의 뜨거움은 배가된다. 그래서 사랑하는 이와 만날 때는 퓨전 전통주가 필요한 법!

　향과 맛을 즐기기에 딱 좋은 술이 위스키다. 숙성을 거친 위스키는 향수에 가까운 진한 향을 풍긴다. 마시는 향수, 맛있는 향수다. 위스키는 알면 알수록 그 깊이를 알기 힘들다. 위스키는 끊임없이 변화하고 있기에 누구든 새롭게 만들어 낼 수 있다.

세계인의 마음을 사로잡은 위스키의 최고 생산량을 가진 곳이 스코틀랜드다. 북유럽과 가까워 여름에도 날씨가 선선하다. 위스키를 저온 숙성하기 딱 좋은 곳이다. 위스키는 곡물을 발효, 증류한 후 장기간 숙성하여 만든다.

　스코틀랜드에는 스카치위스키를 배울 수 있는 곳이 있다. 스코틀랜드 수도 에든버러에 있는 '스카치위스키 익스피리언스'다. 이곳은 1987년 스카치위스키 회사 19개가 공동 출자해 만든 홍보센터이다. 우리나라 '전통주 갤러리'와 비슷한데 규모가 크고, 시음이 다채롭게 이루어지고 있다.

향을 통해 자신의 취향을 찾을 수 있는 술이 위스키다. 맛도 그렇지만 향이 맛에도 크게 영향을 미친다. 혀에 닿는 느낌과 향이 더해질 때 위스키의 매력에 흠뻑 빠지지 않을 수 없다. 향에 먼저 취하고 혀에 닿는 터치에 설레고 목 넘김에 깊이 취한다.

50도가 넘어가는 위스키는 발향이 좋고 도수에 비해 부드러운 맛의 균형까지 좋다. 하루를 마칠 때 부드러움 속 강렬함이 있는 위스키를 살짝 넘겨주면 숙면에 도움이 된다. 때로는 영감을 가져다주는 위스키는 창작의 발열제 같기도 하다.

우리나라에서는 위스키 하면 스카치가 최고다. 라이나 버번은 콜라나 타서 마시는 저렴한 위스키로 여겨진다. 그러나 알고 보면 라이와 버번은 세계인이 즐기는 유명한 위스키이고, 칵테일 베이스로 많이 쓰인다.

나는 어렸을 때부터 인도에 대한 로망이 있었는데 인도 남자들이 한국 여자들을 인형 보듯이 신기해하고 사랑스러운 눈으로 바라본다는 말을 듣고부터 생긴 마음이었다. 그런 인도에도 위스키가 있다는 것을 들었을 땐 왠지 더 반가운 마음이 들었다.

위스키 바이블에서 인도 위스키 암룻 퓨전이 3위를 차지했다는 이야기를 들었을 때는 적지 않게 놀랐다. 심지어 국내에 암룻이 수입된다는 사실을 아는 사람은 많지 않다. 인도의 대표 음식인 난과 카레는 위스키와 무척 잘 어울린다.

암룻은 1948년에 설립되었지만, 증류소는 1987년에 본격적으로 가동했다. 초기에는 럼을 생산하다가 이후에 사탕수수와 몰트를 블렌딩한 술을 제조했고, 차차 인도의 기후에서 위스키를 생산하는 노하우를 터득하게 되었다.

2001년 와인과 스피릿 컨설팅을 하는 탯록 앤드 톰슨을 고용해서 위스키 생산에 관해 자문했다. 암룻 싱글몰트는 2004년 스코틀랜드의 글래스고에서 런칭했다. 암룻 캐스트 스트렝스는 61.8도의 알코올 도수를 자랑한다. 자연적인 색의 싱글몰트 위스키이며, 아메리칸 오크통에서 숙성했다.

내게 인도와 위스키는 설렘 그 자체다. 여중 시절, 각 나라 전통 춤 행사에서 우리 반은 인도 전통춤을 선보이게 되었다. 내가 인도 여성처럼 생겼다는 이유로 센터를 차지하고 분장할 때 표본으로 교단 앞에 한 시간 이상 앉아 있었다.

왠지 주인공이 된 듯했다. 예쁘기로 유명한 인도 여성의 대표가 된 듯한 기분에 사로잡혀 한껏 높아진 어깨와 자신감 넘치는 눈빛으로 한 시간 동안 같은 반 친구를 바라보고 있었다. 그때부터 인도에 대한 로망이 싹트기 시작했던 건지도 모르겠다.

위스키 맛을 더하는 요소는 잔이다. 위스키는 분위기에 따라 맛이 달라지는 오묘한 술이다. 어두운 바에 들어서서 바 위에 놓인 잔을 보면 조급함이 밀려오면서도 찰나의 설렘이 오묘하게 뒤섞인다.

모든 술이 비슷하겠지만 위스키는 유난히 잔에서 오는 설렘이 짙다. 깨끗이 세척된 위스키 잔을 바라보고 있으면 왠지 마음이 들뜨고 뭐든지 새롭게 시작할 수 있을 것 같은 열정이 솟아오르곤 한다.

　오늘 무슨 일이 있었든지 상관없이 깨끗이 정화되고 모든 일이 잘 풀릴 것 같다. 오늘이 정리되고 희망 가득한 내일을 맞을 준비를 도와주는 술이 바로 위스키다. 높은 알코올 도수의 위스키를 향으로 만나고 부드럽게 넘기고 나면 스르르 꿈길로 접어든다.

위스키는 유난히
잔에서 오는 설렘이 짙다.

깨끗한 위스키 잔을
바라보고 있으면

마음이 들뜨고
열정이 솟아오르고는 한다.

오늘 무슨 일이
있었든,

왠지 새롭게 시작할 수
있을 듯한 기분.

싱긋—

높은 알코올 도수의 위스키를
향으로 만나고 부드럽게 넘기고 나면

스르르 꿈길로 접어든다.

퓨전 전통주는
개인의 취향

퓨전 전통주는 개인의 취향

    퓨전 전통주는 개인의 취향에 따라 즐길 수 있다. 개인의 취향이 다양한 만큼 퓨전 전통주는 무궁무진한 매력으로 가득 차 있다. 술을 사랑하는 사람이라면 누구나 만들고 즐길 수 있는 게 바로, 퓨전 전통주다.

〈 어떤 잔에 따르냐에 따라 맛이 달라지는 술 〉　　　　〈 화이트와인과 식혜의 만남〉

　술자리에서 아직도 주종을 같이 해야 한다는 오래된 고집이 있다. 심지어 늦게 온 후발 주자에게 소주 석 잔을 들이켜게 하는 꼰대가 아직도 존재한다. 술자리는 같은 공간에서 공통된 시간을 공유하는 자리다. 하지만 개인의 취향을 잘라내고 합일만 고집할 이유는 없다. 어쩌면 그랬기 때문에, 오늘날 회식 문화가 개혁을 이뤘는지도 모르겠다.

　'부어라, 마셔라.' 하는 문화를 지양하고 스포츠를 함께 즐기는 회식 문화가 생긴 이유가 그렇다. 술자리에서 상사의 지시대로 취향을 무시당하고 심지어 술을 억지로 마셔야 하니, 그 곤욕스러운 시간을 견딜 이유가 없는 것이다.

　그래서 안타깝다. 술자리에서도 얼마든지 개인의 취향을 마음껏 드러낼 수 있고 공유하며 서로의 방식을 받아들일 수 있는데, 좋은 기회를 놓치고 있는 기분이다. 술이 함께 하는, 즐거운 나눔이 있는 회식 문화가 부활하길 바란다.

　술자리를 싫어하는 사람이 있는 것처럼 스포츠 싫어하는 사람도 있다. 특히 볼링 치는 걸 무척 싫어하는 사람이 회식마다 볼링장에 가야 한다면 어떨까? 그 또한 곤욕일 수밖에 없다. 회식 술자리에서 개인의 취향을 마음껏 드러낼 수 있는 문화가 성행한다면 마다할 이유가 없지 않겠는가?

　있는 그대로 인정하고 받아들이는 선한 배려가 있는 자리라면 많은 사람이 선호하지 않을까? 혼자 즐기는 퓨전 전통주도 좋지만 여럿이 즐기는 전통주 모임은 설렘이 크다. 저마다 취향을 뽐내며 퓨전 전통주를 만들어 마시는 모습을 상상하면 입가에 미소가 저절로 지어진다. 다름을 인정하는 선한 배려가 퓨전 전통주 모임에서부터 생겨나면 좋겠다.

퓨전 전통주 맛있게 즐기는 법

빛과 함께 깨어있는 순간, 아이디어가 샘솟고 모든 의식이 꿈틀거린다. 퓨전 전통주는 빛과 함께 즐겨야 제맛이다. 해가 길어지는 초여름 초저녁, 퓨전 전통주 만들어 잔을 기울이고 있노라면 어느새 해가 뉘엿거린다.

붉은 노을이 마치 딸기주 같기도 하고, 잘 만들어진 강렬한 칵테일 같기도 하다. 노을을 마신다면 칵테일 맛이 날까?

때로는 도수 높은 퓨전 전통주를 만들어 바다로 간다. 파도 소리를 벗 삼아 퓨전 전통주를 마시면 자유를 한껏 느낄 수 있다.

술의 맛은 기분의 맛이라고 해도 과언이 아니다. 술은 그날의 컨디션에 따라 취하기도 하고 그 반대이기도 하다. 술도 음식이다. 위가 차 있느냐, 비어 있느냐에 따라서도 그 맛이 달라진다. 참 신비로운 건 누구와 마시느냐에 따라 맛의 차이가 하늘과 땅 사이 간격만큼이나 벌어진다는 것이다.

그래서 음식은 결이 맞는 사람과 함께 먹고 싶다. 특히 술은 영혼이 깃든 사람과 마시고 싶다. 더 맛있게, 그보다 더 의미 있게 공동의 시간을 즐기고 싶다. 서로의 취향과 시간을 나누면서 경험하지 못한 걸 공유하는 술자리라면 삶에 맛을 한 모금 더할 수 있다.

절대 빠지면 안 되는 한 가지

　퓨전 전통주를 즐길 때, 절대 빠지면 안 되는 한 가지가 있다. 퓨전 전통주에 어울리는 퓨전 안주! 때로는 식사처럼, 가끔은 가볍게 또는 더 진하게 퓨전 전통주의 격을 올려 줄 퓨전 안주를 취향에 맞게 만들어 먹다 보면 오롯이 주인공이 된 것 같다.

　취향에 딱 맞는 술과 안주, 세포 하나하나가 살아나는 빛의 왈츠! 세상 무엇과도 바꿀 수 없는 무대이자, 나만의 이야기가 만들어진다.

누군가 만들어 내는 안주를 보고 있노라면 마치 오로지 나만을 위한 춤을 추는 것 같다. 음악도 없이 자유롭게 술을 부르는 손짓과 안주를 기다리는 몸짓으로 짧은 공연을 만들어 낸다. 설렘 가득한 작품의 탄생이다.

안주가 좋아 술이 생각나고, 술을 마시기 위한 안주가 준비되고, 둘은 떼려야 뗄 수가 없다. 때로는 반주로 마시는 술에 한 끼 밥이 안주가 된다.

어디서 누구와 마셔볼까?

　혼자서 즐기는 것도 좋지만 함께 즐길 때 퓨전 전통주의 깊이가 더해질 때가 있다. 기쁨을 나누거나 슬픔을 보낼 때, 오롯이 한마음이 되어 있어 줄 사람이라면 퓨전 전통주 잔이 서로의 몸을 부딪칠 때, 기쁨은 커지고 슬픔은 어느새 뒤돌아 간다.

집에서 마신다면 각자의 취향에 맞게 퓨전 전통주를 만들기가 편해진다. 평소 막걸리를 즐겨 먹는 지인과 함께 마신다면 우유 거품을 내고 시나몬 가루를 뿌려 막걸리 카푸치노를 만들어 보면 어떨까?

맛과 분위기가 한층 부드러워진다. 따뜻한 게 취향에 맞지 않다면 얼음을 넣어 차갑게 즐겨도 좋다. 안주로는 쿠키가 어떨까?

술은 어떤 잔에 담느냐에 따라 색도 맛도 달라진다. 어떤 환경에 있느냐에 따라 사람도 달라진다. 누구의 잔에 담기느냐에 따라 사람이 달라진다. 우리가 누구를 담아낼지 모르고 내가 누구의 잔에 담길지 모를 일이다. 술도 잔도 잘 관리해야 한다.

사람의 관계와 참 많이 닮은 술과 술잔이다.

　술 그대로, 때로는 술을 서로 섞고, 가끔은 그날의 기분과 분위기를 섞어 만든다.

　맥주는 목마른 관계에, 칵테일은 이벤트가 필요한 관계에 있는 사람과 마시면 좋다. 운동 후 갈증을 느낄 때 한 번에 들이켜는 맥주에 맛을 아는 사람은 두 가지를 결코 끊을 수 없다. 운동과 맥주!

이벤트가 필요한 관계에 있는 사람과는 칵테일 바에 가자. 술만 이벤트적인 게 아니라 바마다 특별함이 묻어난다. 분위기에서 한 번, 노래 선곡에서 두 번, 칵테일 조합에서 세 번 특별함이 툭툭 떨어진다. 취향에 맞는 칵테일 바를 고르는 것도 하나의 이벤트다.

경복궁에는 어떤 게 어울릴까? 내가 제일 사랑하는 머위나물이다. 풍부한 거품이 반쯤 내려가면 얼른 입안에 붓고 머위나물을 머금는다. 맛이 서로 엉키기 전에 잠시 음미한다. 향만 그대로 코로 올라와 찌른다. 은은한 강렬함이다.

이제 막 시작한 연인이 경복궁 데이트를 마치고 맥주와 머위 요리를 함께 먹으며, 우리나라 역사에 관련된 영화를 보는 건 어떨까?

에필로그

누구에게나 역사가 있다. 한 사람이 하루를 쌓아 인생을 만들어 갈 때, 하나의 이야기만 쓰는 게 아니다. 두 사람의 분신으로서의 이야기, 자신의 분신을 키워내는 이야기, 결이 같은 사람들과 만들어 가는 이야기, 취향에 따라 마시는 술에 관한 이야기 등 한 사람의 인생은 무궁무진한 이야기를 몰고 온다.

한 나라의 언어를 배운다는 건 언어 하나만 배우는 게 아니다. 그 나라의 문화와 역사를 함께 배우는 것이다. 술도 마찬가지다. 그 나라에 술을 마신다는 건 술 하나만 배우는 게 아니다. 술과 함께 역사와 문화를 마시는 것이다.

술자리에서 피어나는 이야기꽃은 화려하기도 수수하기도 한 우리의 삶과 닮았다. 사람이 꽃보다 아름답고 꽃보다 아름다운 사람이 만들어 내는 삶의 이야기는 소설로도, 영화로도 만들어질 만큼 우리 모두의 이야기다.

어느 때보다 솔직하게, 그러나 천박하지 않게 이야기꽃을 피울 때 우리는 마음의 문이 활짝 열린다. 긴장을 풀어내고 너와 내가 본성의 언저리에 있을 때 담아둔 묵은 아픔도 털어낸다. 온전히 이성이 살아있을 때보다 2%쯤 덜어내고 상대에게 집중하다 보면 그가 나일 때가 있다.

온 마음으로 받아 온전히 나의 것이 될 때, 그 사람도 나와 다르지 않은 존재라는 걸 알게 된다. 네가 행복해야 나도 행복하다는 걸 알게 되면, 감정의 배려가 생기고 강요하지 않게 된다. 감정의 과함이 있다면 한 모금 마셔 내리고, 쉼표 찍으며 딱 2%만 덜어내면 된다.

감성도 이성도 과하면 탈이 난다. 긴장이 과하면 병이 되고, 이완이 오래되면 게으름이 된다. 긴장과 이완이 적당히 오고 가야지 건강한 삶을 살 수 있다. 삶에 일만 있을 수 없고 놀이만 있을 수 없다. 그 둘의 조화가 있어야 한다. 일이 놀이고 놀이가 일이라면 금상첨화.

삶이 재밌으려면 퓨전 전통주 하라. 너와 내가 섞여 전혀 새로운 게 된다.

〈참고 문헌〉

고재윤, 〈사케소믈리에〉, 한올 2012.

감수 기미지마 사토시, 옮긴이 이윤, 〈사케를 읽다〉, 시그마북스, 2013.

김윤경 번역, 〈사케의 기본〉, 스펙트럼북스, 2012.

정은수, 〈막걸리 이야기〉, ㈜살림출판사, 2012.

한경TREND 특별 취재팀, 〈요즘뜨는 막걸리〉, 한경TREND, 2021.

윤숙자, 권희자, 〈아름다운 우리술〉, 도서출판 질시루, 2007.

백웅재, 〈우리 술 한주 기행〉, ㈜창비, 2020.

백웅재, 〈술맛나는 프리미엄 한주〉, 도서출판 따비, 2016.

조정형, 〈명주보감〉, 서해문집, 2011.

권희자, 〈아름다운 우리 전통 술 만들기〉, 미진사, 2012.

염선영, 〈분위기에 맞게 고르는 66가지 칵테일 수첩〉, 주식회사 우등지, 2010.

강수빈, 〈오늘 집에서 칵테일 한 잔 어때?〉, ㈜리스컴, 2020.

김봉하, 〈믹솔로지〉, 링거스그룹, 2010.

성중용, 〈내 취향에 딱 맞는 125가지 위스키 수첩〉, 주식회사 우등지, 2020.

윤한샘외, 〈맥주에 대한 모든 것〉, BOOKERS, 2019.

야콥 블루메, 〈맥주, 세상을 들이켜다〉, 도서출판따비, 2010.

이강희, 〈맛있는 맥주 인문학〉, 북카라반, 2018.

이지선, 〈한국인을 위한 슬기로운 와인 생활〉, 브레인스토어, 2021.

권경민, 〈홉 향기 가득 맥주 인문학 강의, 한국지식문화원, 2022.

이강화, 〈맛있는 맥주 인문학〉, 북카라반, 2019.

심현희, 〈맥주 나를 위한 지식플러스〉, (주)넥서스, 2018.

정보연, 〈하루의 끝, 위스키〉, (주)퓨처미디어, 2019.

조승원, 〈버번 위스키의 모든 것〉, ㈜교유당, 2020.

엄정선, 〈와인, 문화를 만나다〉, 다홀미디어, 2010.

엄정선, 〈와인이 있는 100가지 장면〉, 보틀프레스, 2021.

임승수, 〈와인에 몹시 진심입니다만,〉, 수오서재, 2021.

오현숙, 〈와인 스케치〉, 파르리카, 2009.
마니 올드, 〈와인 시크릿〉, 니케북스, 2012.
이재형, 〈이럴 땐 이 와인〉, 코코넛, 2009.
이지선, 〈한국인을 위한 슬기로운 와인생활〉, 2021.
엄정선, 〈와인이 있는 100가지 장면〉, 2021.